インコのチェックポイント

攻撃的になっていないか

鼻のまわりがよごれていないか

あくびをよくしていないか、元気に鳴いているか、エサをきちんと食べているか

姿勢や歩き方がおかしくないか

ゼーゼーと呼吸の音を出していないか

からだをふくらませて、じっとしていないか

※インコは寒かったり、病気になったりすると、からだをふくらませることがある。リラックスしていたり、ねむたかったりするときにもふくらませることがあるので、よく観察して、病気かどうか見極めよう

ウンコのようすが変わっていないか

カメのチェックポイント

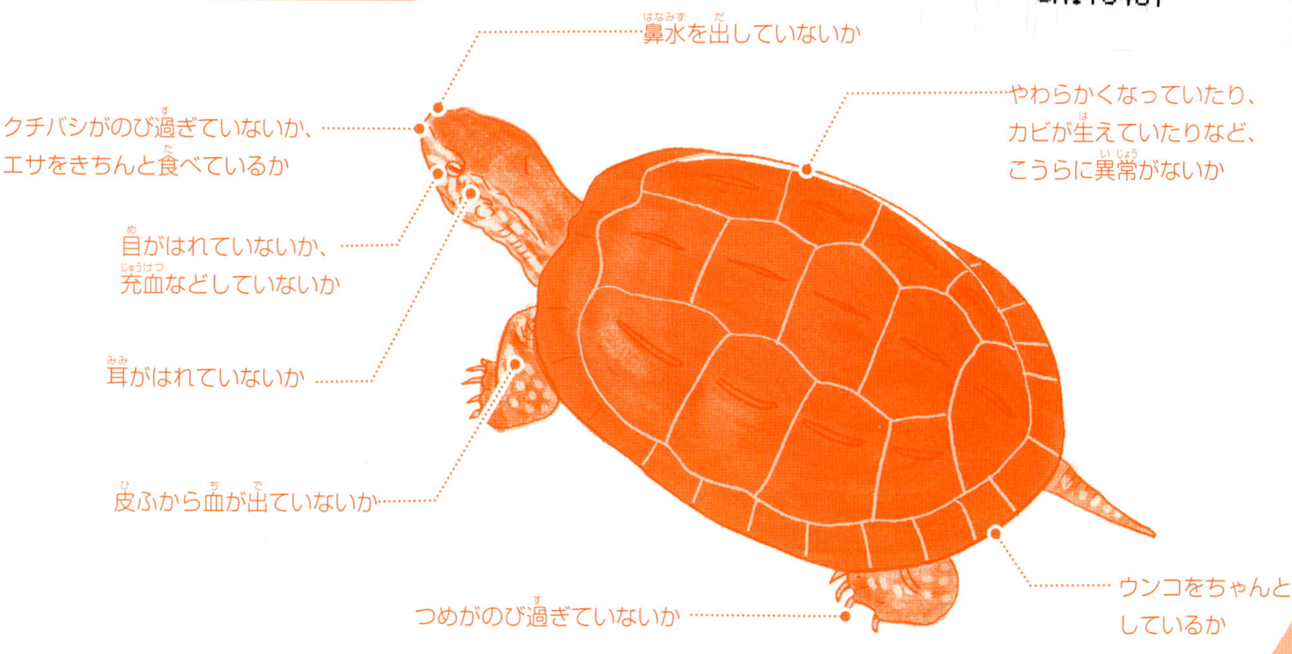

なぜ？ どうして？

ペットのなぞにせまる

3 小さな動物たち

今泉 忠明 監修
小野寺 佑紀 著

ミネルヴァ書房

はじめに

広がりを見せるペットの世界

さまざまな生き物がペットに

私たちヒトは、大昔からネコやイヌとくらしてきました。また、何千年も前からウシやヒツジ、ウマなどとも、ともにくらしてきました。

一方、近代になると、さまざまな野生動物がペットとして飼われるようになりました。ハムスター、美しい羽根や鳴き声をもつトリたち、キンギョや熱帯魚、エビやカニ、カエルやカメなどの小動物たちです。ネコやイヌ、ウシなど以外の、こうした飼育される動物たちのことをまとめて、「エキゾチック・ペット（エキゾチック・アニマル）」と呼ぶことがあります。

生き物を飼うと、くらしが豊かになります。生き物のすばらしさを身近に感じ、命の大切さを学ぶことができるためです。また、生き物を通して、家族で話す機会が増えたり、心がいやされたりもします。

ペットの命と幸せ

ネコやイヌ、ウシなどとちがって、エキゾチック・ペットたちはヒトに飼われてきた歴史が長くありません。そのため、じょうずに飼う方法や病気の治療法など、まだわかっていないこともたくさんあります。相談できる動物病院も多くはありません。外国からやってきた生き物やめずらしい生き物はとくにそうです。

飼育がむずかしいからといって、途中で飼うのをやめることはできません。野外に放すことは、生態系*をこわすことにつながります。かつて、ペットとして人気になった生き物が野外に放されたことで、日本の生態系をこわしてしまい、現在では飼育が禁止されているものもいます。

最後まで飼い主が責任をもって飼うこと、それが命ある生き物を飼うときの絶対のルールです。生き物の習性やくらし方を飼い主がよく学び、ヒトもペットも幸せにくらせるようにしましょう。

*生態系：生き物や、生き物のまわりの環境がたがいに関係しあってつくられた空間

ネコやイヌ、ウシなどとエキゾチック・アニマル

ネコやイヌ、ウシなど

ネコやイヌ、ウシやヒツジ、ウマなどは、大昔からヒトに飼われてきた

エキゾチック・アニマル

エキゾチック・アニマルは、めずらしい外国の野生動物を指すことが多い。おもにペットショップや動物病院などで使われる用語

もくじ

この本の見方

この本は、ペットとして飼われている小さな動物たちについて、「小動物とヒトのつながり」「小動物のふしぎ大研究！」「小動物ペット大集合！」の3章構成で解説しています。

第1章 小動物とヒトのつながり

ハムスターやインコなど、ペットとして飼われるようになった、さまざまな小動物とヒトのつながりについて、楽しい絵と文章で学べます。

第2章 小動物のふしぎ大研究！

代表的な小動物をペットとして飼うために、知っておきたい小動物のふしぎについて、イラストと文章で解説しています。

第3章 小動物ペット大集合！

ペットとして飼われる小動物は、ハムスターやウサギからトリ、サカナなどさまざまです。そのなかの代表的な種類を、イラストと文章で解説しています。

データ
体長や体重などと特徴・性格などを解説しています。

種名

イラスト
特徴や性格を、楽しいイラストで表現しています。

ペットになったハムスター

1930年につかまえられた野生のハムスターがはじまりでした。

野生のゴールデン・ハムスターを発見したアハロニ博士（想像図）

数匹から世界に広がったハムスター

金色にかがやくような毛をもつことから、「ゴールデン・ハムスター」と呼ばれているハムスターがいます。このゴールデン・ハムスター、現在では世界中で飼われていますが、もとはシリア*でつかまえられた野生のハムスター数匹から広がったと考えられています。そのため、「シリアン・ハムスター」とも呼ばれます。

シリアのとなり、現在のイスラエルにあるヘブライ大学で寄生虫*学者のサウル・アルダー博士が研究をしていました。博士は研究のため、野生のハムスターをほしがっていました。そこで、同じ大学の動物学者アハロニ博士に、つかまえてほしいとたのんだのです。

1930年、アハロニ博士はシリアのアレッポ

*シリア：地中海の東にある中東の国。内陸部には砂漠が広がっており、1年を通して雨が少ない

*寄生虫：動物の表面や体内に取りつき、栄養をもらいながら生きる生物

という地域へ向かいました。そこで地元の人に協力してもらい、土の中の巣をほり当てて、1匹の母親ハムスターとまだ目の開いていない12匹の赤ちゃんハムスターをつかまえました。

残念ながら、この母親ハムスターと数匹の赤ちゃんハムスターは、死んでしまったり、にげてしまったりしました。しかし、残った赤ちゃんハムスターが成長してたくさんの子どもをつくり、1年後には、数百匹に増えたともいわれています。このハムスターの子孫が、いつしかペットとして世界中で飼われるようになっていったのです。

その一方で、現在、野生のゴールデン・ハムスターは、ほとんど確認されていません。

名前は「背黄青インコ」

オーストラリア原産の小鳥が世界中に広まりました。

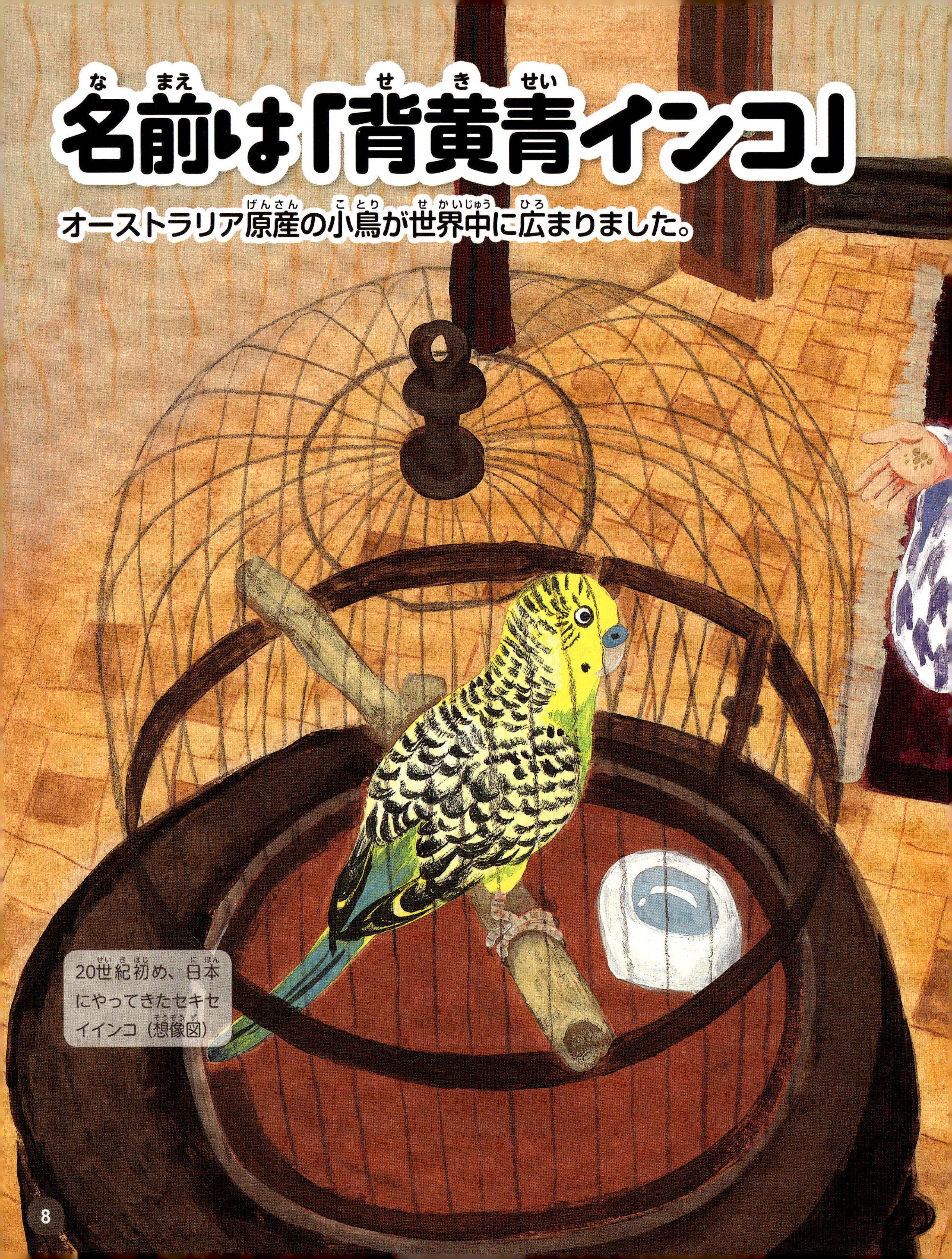

20世紀初め、日本にやってきたセキセイインコ（想像図）

名前の由来は羽根の色

ペットとして飼われているトリのなかで、もっとも数が多いのは、セキセイインコだといわれています。インコの1種の小さなトリで、もともとはオーストラリアで群れをつくってくらしていました。

セキセイインコが初めてヨーロッパに連れて行かれたのは1840年のことでした。イギリスの鳥類学者ジョン・グールド博士が、オーストラリアにトリの調査へ行った帰りに、つがい*のセキセイインコを持ち帰ったのです。

セキセイインコはからだが小さいため、家でも飼いやすく、ヒトによくなつき、歌ったりものまねをしたりします。また、繁殖*させることもむずかしくはありません。そのため、多くの人びとに好かれて、ヨーロッパ中で大人気になりました。

日本にやってきたのは1900年代の初め、明治時代の終わりごろです。頭から背にかけての色が黄色く、また青色の部分もあったことから、「背黄青インコ」と名づけられたといわれています。野生のセキセイインコもこのような色をしていますが、多くの品種がつくられた現在では、さまざまな色やもようをもつセキセイインコがいます。

*つがい：オスとメスの1組

*繁殖：動物や植物が生まれて増えること

野生化したミドリガメ

飼い主にすてられたカメたちが、大問題になっています。

神社の池で大繁殖する
ミドリガメ（想像図）

ミドリガメが飼えなくなる!?

ペットショップや祭りの縁日で売られている、小さな緑色のカメを見たことがありますか? 日本では「ミドリガメ」と呼ばれる、アカミミガメの1種です。

ミドリガメはもともとアメリカにいたカメです。ペット用として日本に輸入され、今でも1年に10万匹ほどがアメリカからやってきます。

最初は小さくてかわいらしいですが、大きくなると30センチメートル近くになり、小さな水そうでは飼えなくなります。また、とても長生きするカメで、30年も生きることがあります。

そのため日本では、飼えなくなったミドリガメを川や池にすてる人が大勢いました。今では日本全国でミドリガメが野生化し、かわりに日本にもとからいるニホンイシガメなどの数が減ってしまいました。

環境省*は2015年に、ミドリガメがこれ以上野生で増えないようにするための対策をたてました。その1つとして、カメを最後まで飼いつづけるように、飼い主に呼びかけています。また、将来的には、ミドリガメの輸入やペットとしての飼育を禁止することも検討されています。

* 環境省：自然環境の保護などをおこなう日本の行政機関

熱帯魚ブームのはじまり

19世紀、ヨーロッパではサカナを飼うことが流行しました。

19世紀、オイルランプで温めた水そうで飼われる熱帯魚（想像図）

ヨーロッパに行った熱帯魚

中国の人びとは、古くから泳ぐサカナを見て楽しんでいました。今から1000年以上前には、丸いガラスのはちで、さまざまな種類のキンギョを飼っていたといわれています。

ヨーロッパで、観賞のためにサカナを飼うことが一般に広く流行しはじめたのは、1830年代ごろからです。より良いガラスをつくる技術が発達したり、水そうでできるだけ長く生き物を飼う方法が考えだされたりしたためです。それまでは絵で見たり、想像したりするしかなかった水中の生き物のようすを間近に見られるとあって、人びとは水そうでサカナなどを飼うことに熱中しました。

1869年には、ヨーロッパで初めて熱帯魚の繁殖がおこなわれました。中国からフランスへ、タイワンキンギョ*という淡水魚*が送られたのです。昔はサカナを遠くに輸送するのはとてもむずかしいことだったため、それまで水そうで飼われていたサカナのほとんどは地元でとれたものでした。

タイワンキンギョの繁殖をきっかけに、さまざまな熱帯魚がヨーロッパへ輸入され、多くの人の心をひきつけました。

*タイワンキンギョ：日本の沖縄や中国南部、台湾、東南アジアなどにすむ淡水魚。キンギョの仲間ではない

*淡水魚：海水ではなく、川や沼などの淡水でくらすサカナ

日本に広まったザリガニ

アメリカからやってきたザリガニは、日本の子どもたちに親しまれました。

ザリガニつりをする昭和の時代の子どもたち（想像図）

子どもに人気だったザリガニつり

日本にはおもに３種類のザリガニがくらしています。北海道や福島県などの湖で見られるウチダザリガニは、アメリカから輸入されたものです。北海道と東北の一部のきれいな水のあるところでくらすニホンザリガニは、もとから日本にいた種です。

現在日本のほとんどの地域で見かけるザリガニは、アメリカザリガニです。もともとは、ウシガエルのエサとしてアメリカから輸入されたものでした。

アメリカザリガニが日本にやってきたのは、1927年です。約20尾が神奈川県鎌倉市のウ

シガエル養殖場に持ちこまれました。そして、そこからにげだしたものが、あっという間に日本各地に広まりました。日本の水田が、アメリカザリガニがくらす環境に適していたためです。

こうして広まったアメリカザリガニは、昭和の時代、子どもたちの楽しい遊び相手になりました。たくさんの子どもたちが、池や川、水田の水路などで、ザリガニつりを楽しみ、アメリカザリガニとふれあいました。

その一方で、アメリカザリガニがすむ場所では、もともとくらしていた水辺の昆虫や水草がいなくなってしまうという問題もおこりました。また最近では、水路にコンクリートが使われるなど、水田の環境が変わってきたため、アメリカザリガニがすめなくなった場所も増えてきています。

ハムスターのふしぎ

快適に元気よく過ごせるように、
ケージの中をくふうしよう。

ハムスターのからだ

大きな目

夜行性*なので、夜でもまわりが見える。しかし、視力はあまりよくない

発達した鼻

嗅覚（においの感覚）はするどい。ほかのハムスターに出会ったときは、においでたがいを確認する。においは、わき腹にある2つの臭腺から出される

やわらかいほおぶくろ

口の中の左右のほおにふくろがある。のび縮みし、食べ物をためておける

食べ物を持つ前足

前足には長い指が4本ある。親指はないが、肉の出っぱりがあり、種などをしっかり持つときに役立つ

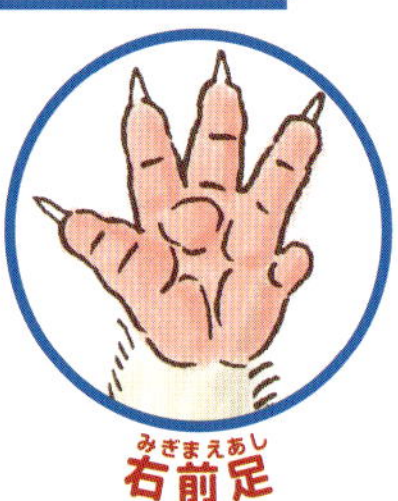

右前足

じょうぶな歯

とてもかたい。４本の前歯は、先がうすくするどくなっていて、一生のびつづける

ハムスターのくらしとからだの特徴

野生のハムスターは、乾燥した地域でくらしています。土の中に巣をつくって、地上のはげしい暑さと寒さの差をしのぎます。巣には、食料をたくわえる部屋や子どもの部屋、トイレなどがあります。

ハムスターは夕方から活動をはじめます。巣穴から出て、食料を探して歩きまわるのです。食べるのは植物の葉やくき、根、種、昆虫などです。視力があまりよくないので、おもににおいをたよりに食料を探し、見つけると、ほおぶ

＊夜行性：夜に活動する性質

ハムスターに合った飼育環境

ケージ

ケージは運動できるように広めのものにしよう。また、ときどきそうじをしてせいけつに保とう。ただし、床材をすべて取りかえてしまうと、自分のにおいがしなくなるためハムスターは不安に感じてしまう。よごれたところだけを取りかえるようにしよう

巣箱

ハムスターは、昼間は暗い巣穴の中でねむっている。そのため、巣箱などを置いて、明るくてもねむれる環境をつくる

吸水器

飲み水を入れる容器。吸い口がついている

トイレ

ハムスターは巣穴の中の決まった場所でおしっこやウンコをする。そのため、ケージのすみにトイレをつくっておけば、使うようになる

エサ入れ

ペレット(固形飼料)を中心にあたえる。ヒマワリの種はハムスターにとって脂分が多いので、あたえすぎないように注意

小枝

前歯がのびすぎないように、小枝などかたいものをあたえよう。ケージをかむくせがつくと、前歯が曲がったり折れたりしてしまうこともある

回し車やトンネル

暗くなると、ハムスターは長い時間歩きまわって食料を探す習性がある。そのため、ケージの中に回し車やトンネルを置いて、運動ができる環境をつくる

床材

床には、細かくしたオガクズやワラ、紙などをしく。ハムスターがもぐれるくらい入れよう

くろに入れて巣まで持ち帰ります。

ハムスターのほおぶくろは、とてもやわらかくできていて、たくさんの食料をつめこむことができます。ヒマワリの種なら100個くらい入るといわれています。

植物の根や種をかじって食べるハムスターの歯は、とてもじょうぶにできています。合計4本の前歯と、12本の奥歯があります。前歯はほうっておくと、のびつづけますが、かたいものをかじっているうちに、ちょうどよい長さに保たれます。

ペットとして飼う場合、こうした本来の習性をよく知っておくと、ハムスターにとって快適な飼育環境をつくれます。

インコのふしぎ

愛情をもって接して、
インコと仲よくなろう！

セキセイインコのからだ

発達した耳

羽根でかくれているため見えないが、よく発達している

がっしりとした足

枝につかまるときは、足が前後２本に分かれる

オスとメスで色がちがう蝋膜

「蝋膜」とは、くちばしのつけね、鼻のまわりの部分。オスは青かピンクで、メスは茶色。子どものときは見分けにくい

じょうぶなくちばし

下向きに曲がっている。じょうぶで先はするどくとがる

言葉を教えるコツ

・子どものときからトレーニングをすると覚えやすい
・通りがかったら必ず名前を呼ぶ
・じょうずに話せたら、喜んであげる
・正しくまねできたときだけ喜ぶ

ヒトの言葉をまねしないセキセイインコもいるので、無理に教えようとしない

インコの学習とトレーニング

　トリが異性の気をひくため、歌うように長く複雑に鳴くことを「さえずり」といいます。オスがメスに対して鳴くのが一般的です。

　トリのなかには、このさえずりを学習できるものがいます。ほかのトリが鳴くのを聞いて、自分もまねしてみるのです。いろいろなさえずりかたでじょうずに鳴ける方が、メスに気に入られるので、このような能力が発達したと考えられています。

　飼育されているトリのなかには、ヒトの言葉をまねできるようになるものもいて、その代表がインコやオウムの仲間です。小型のインコ、セキセイインコもヒトの言葉をまねするのがじょうずです。野生のセキセイインコは、群れでくらし、親子や夫婦、仲間と鳴き声を使ってコミュニケーションをとります。そのため、聞いた音を学習する能力にすぐれているのです。

飼っているインコに言葉を覚えてもらうには、インコと仲よくなることがもっとも大切です。愛情をもって接して、インコに自分のことを仲間だと思ってもらうのです。

名前を呼んだり、朝おきたら必ず「おはよう」と声をかけたりすると、早ければ1～2週間でヒトの言葉をまねできるようになります。

セキセイインコに合った飼育環境

ケージ

ケージをよじのぼって遊ぶのが好きなので、高さのあるものを選ぶ

止まり木

止まり木をかじるのはインコの習性。ときどき新しいものに交換する

青葉入れ

ビタミンの補給に、キャベツ、コマツナ、サニーレタスなどを入れる

水入れ

あまり水は飲まないが、新鮮な水が必要。毎日交換しよう

おもちゃ

おもちゃや鏡で遊ぶことで、ストレスを発散する

カットル・ボーン

イカの一種「コウイカ」のこうらで、カルシウムの補給のほか、くちばしののび過ぎ防止に役立つ

エサ入れ

エサの好ききらいがはっきりしている。エサの種類がかたよると、栄養のバランスが悪くなってしまうので、おさないうちからいろいろなエサに慣れさせる

クサガメのふしぎ

カメは長生き！
食べ物と環境に注意しよう。

クサガメのからだ

するどいくちばし

カメの口には歯がなく、くちばしになっている。やわらかいエサばかりをあたえていたら、くちばしがのび過ぎて、エサが食べられなくなってしまうこともある

3列の隆条

クサガメはこうらに、縦にのびた3列の盛り上がり（隆条）があることが特徴

かくれた耳

耳は、目のうしろにある。皮膜におおわれているのでわかりにくい

首のもよう

クサガメは、頭の横や首に、黄緑色のもようがある。ただし、オスがおとなになると、もようはなくなる

かたいこうら

こうらの中に頭と足、しっぽをおさめることができる。また、カメは脱皮*をするとき、全身まるごと一度に脱皮することはなく、こうらが一部分ずつゆっくりとはがれ落ちる

クサガメのからだとくらし

日本各地の川や池、水田などで見ることのできるクサガメは、半水生ガメ*の1種です。びっくりしたりおびえたりすると、4本の足のつけねにある「臭腺」から、くさいにおいを放ちますが、カメがいやがることをしなければ、飼育しているときにくさい思いをすることは、

＊半水生ガメ：おもに川や池にすみ、日光浴などで陸に上がることが多いカメのグループ

＊脱皮：成長のために、骨格やうろこなど、からだのかたい表面がはがれて脱ぎ捨てられること （→p.24）

ほぼありません。

クサガメを飼育する場合は、水そうの中に陸地と水場をつくります。また、日光浴が大好きなので、太陽の光があたる場所をつくるか、紫外線ランプを水そうにつける必要があります。

変温動物*であるカメは、冬は体温が下がり、活発に動けなくなってしまうため、冬眠することがあります。しかし、飼育下での冬眠はうまくいかないこともあるため、暖かい室内に置いて、冬眠させないようにする方が安心です。

クサガメは雑食性*で、野生では巻き貝やエビ、カニの仲間を食べているようです。水の中でおしっこやウンコをするので、そうじをまめにして、水をきれいに保ちましょう。

カメが病気になる原因の多くは、食べ物と環境です。クサガメは長生きをする動物なので、飼い主が気をつけてあげれば、30年ほど生きることができます。

クサガメに合った飼育環境

紫外線ランプ

室内でも日光浴ができるように、太陽の光があたる場所に水そうをおく。その場所がなければ、水そうに紫外線ランプを取りつける

水そう

せまい場所で複数のカメを飼うと、ケンカをすることがある。複数で飼う場合は広い水そうで飼うか、別べつの水そうで飼う

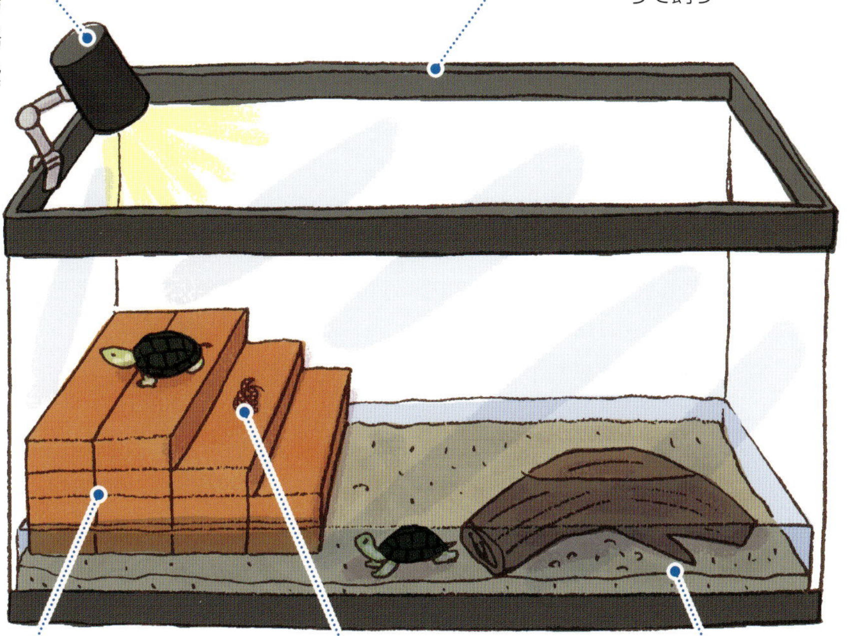

陸地

流木や石、ブロックなどを水そうに入れて陸地をつくる。陸地は日光浴をするために必要

エサ

ペレットのほか、乾燥エビやトリ肉のササミなどが好きで、あたえると喜ぶ

水場

クサガメは半水生ガメなので、水場が必要。せいけつに保つため、水はまめにかえる

* 変温動物：まわりの気温によって、体温が変わる動物

* 雑食性：動物の肉のほか、植物なども食べる習性

熱帯魚のふしぎ

水温や水質の管理が、
熱帯魚を飼うときのポイントです。

熱帯魚が仲よく住むための注意

混泳には、同じくらいの大きさのサカナが向いている。なわばりをもつものや、ほかのサカナを攻撃するものは混泳させない。また、よく泳ぐ場所や、ゆっくり泳ぐかすばやく泳ぐかなどにも注意が必要。混泳できる種類かどうかは、ペットショップの人ともよく相談しよう

グッピー

おだやかな性格なので混泳に向いている。ただし、グッピーのひらひらしたヒレを攻撃するサカナもいるので注意

ネオンテトラ

おとなしい性格で、ほかのサカナとも仲よく過ごせる。群れで泳ぐ姿が美しいので、1匹だけではなく、複数飼うのがおすすめ

コリドラス

ケンカをすることがほとんどないので混泳に向いている。底のあたりを泳ぐことが多いので、ほかのサカナと居場所の取り合いになることもない

混泳と水そうの管理

熱帯魚は、東南アジアや南アメリカ、アフリカなどの暖かい地域の川や湖、海などでくらすサカナです。海でくらすものは、「海水魚」や「熱帯性海水魚」とも呼ばれています。

色やもようなど見た目が美しいものや、すがたや形がかわっているものなど、さまざまな種類がいるため、世界中で愛され、観賞のために飼育されています。

種類のちがう熱帯魚をいっしょに飼うことを、「混泳」といいます。ただし、熱帯魚は

熱帯魚に合った飼育環境

ろ過フィルター

汚れた水をろ過する装置。エサの食べ残しやサカナのおしっこ、ウンコなどを分解するために、バクテリアをすまわせる。ろ過された水がもどるときに、水そうにエアー（空気）も送りこまれる

カルキぬき

水道水にふくまれるカルキ（塩素）をとりのぞく調整剤。カルキは熱帯魚に害をあたえてしまう

照明器具

太陽光だと水そう内の環境を一定に保つのがむずかしいため、電灯を設置する。毎日決まった時間につけて、消すようにする

水温計

水の温度を確認するのに必要。毎日、確認しよう

サーモスタット

水の温度を感知して、自動的にヒーターの電源を入れたり切ったりし、水温を一定に保ってくれる

水草

水質を保ったり、熱帯魚のかくれ家になったりする。水そうの見た目もにぎやかになる

ヒーター

熱帯魚にあった水温にするため、水を温める。故障したときに備えて、予備のヒーターを持っておくとよい

底砂

水草を入れる場合は必ず必要。水の汚れを分解するバクテリアのすみかにもなる

エサ

熱帯魚のエサは種類によってさまざまである。一度にたくさんあたえると、食べきれないので注意

水そう

たっぷり水が入る大きな水そうの方が、水質は安定しやすい。ただし、手入れのしやすさや、置き場所のことも考えて水そうを選ぶ

種類によって、特徴・習性・性格などがちがうので、いっしょに飼ってはいけない組み合わせも多くあります。

飼育される熱帯魚は、飼いやすさから、海でくらすものよりも、淡水でくらすものの方が多く飼われています。とくに初めて飼う人には、じょうぶなうえ、かわいらしい、グッピーやネオンテトラ、コリドラスなどが人気です。

熱帯魚を飼うときは、水温や水質の管理がとても重要です。飼育のために必要な道具をそろえ、また、熱帯魚に合った水温・水質にするなど、水そうの状態を整えておく必要があります。飼いはじめてからも、手入れがかかせません。

ザリガニのふしぎ

きれいな水を保ち、
脱皮や繁殖のようすを観察しよう。

ザリガニのからだ

酸素を取りこむエラ

水中でくらすザリガニには、サカナと同じようにエラがある。エラはからだの中にあって、足のつけねから水を取り入れる。そして、水の中にとけこんだ酸素をエラから取り入れる

変化するからの色

くらす環境や成長段階などによって、からの色は変化する。アメリカザリガニの場合、赤色が多いが、オレンジ色や青色、白色のものもいる

バランスを保つ平衡胞

平衡胞は小触角のつけね、両目の間のでっぱりの下にある。ふくろのようなつくりで、内側は「感覚毛」という毛でおおわれている。ふくろの中には砂粒が入っていて、からだがかたむけば砂粒も動く。感覚毛で砂粒の動きを感じ取ることで、ザリガニはバランスを保っている

触角
小触角
目
上から見た図

おしっこが出る腎管排出孔

ウンコは尾のあたりにある肛門から出るが、おしっこは口のそばにある「腎管排出孔」から出る

下から見た図
口

ザリガニの脱皮と平衡胞

ザリガニはエビの仲間です。エビやカニの仲間は、成長するときに古いからを脱ぐことが知られています。これを「脱皮」といって、脱皮をするたびに、からだは大きくなります。

小さいうちは1年に数回ほど脱皮をします。成長するにしたがい脱皮の回数は減っていきま

すが、ザリガニは一生脱皮をしつづけます。

　脱皮した直後のからだはやわらかいため、おそわれるとたいへんです。複数で飼う場合は、脱皮後の共食い*に注意が必要です。

　からをかたくするには、カルシウムが必要になります。そのためザリガニは、からにふくまれるカルシウムを脱皮する前に集めて、胃の中にためます。ためこんだカルシウムは石ころのように見えるので、「胃石」と呼ばれます。脱皮が終わると、胃石をとかし、カルシウムをからに送って、かたくするのです。

　ザリガニには、バランスをじょうずに保つ「平衡胞」という器官が備わっています。水の中では、どちらが上でどちらが下かわかりにくくなりますが、平衡胞のおかげでしっかりとバランスを保つことができます。

ザリガニに合った飼育環境

※水を浅くして飼うこともできます。

エサ

雑食性なので、なんでもよく食べるが、ニボシやサカナの切り身のほか、ホウレンソウなどの植物をあたえるとよい

水そう

大きめの水そうでオスとメスを飼って、繁殖させることもむずかしくない

ろ過フィルター

水を深くして飼う場合は、水をきれいに保つろ過フィルターが必要。ろ過フィルターはかんたんなものでもよいが、ときどき水の入れかえをしよう

水草

ザリガニは肉も植物も食べる雑食性。水草はエサになるうえ、かくれ家にもなる

底砂

歩きやすいように底砂を入れる。また、平衡胞の中の砂粒は、脱皮をするたびになくなるため、ザリガニは脱皮後に砂をかぶるなどして、平衡胞の中に自分で砂粒を取り入れる

かくれ家

共食いをさけるためのかくれ家。大きな石や植木ばち、塩化ビニール製のパイプなど、かくれ家になるものを入れよう。脱皮しそうなザリガニは、ほかの水そうに移してもよい

* 共食い：生き物が自分と同じ種類の生き物を食べること

ネズミ・リスの仲間

ネズミやリスなどの小さな仲間は、ペットとしても人気者です。

ゴールデン・ハムスター Golden Hamster

データ

雑食性の元気なネズミ

体長	14～19センチメートル
体重	130～210グラム
特徴・性格	シリア周辺原産のハムスター。雑食性で、夜に活動します。性格はおだやかで、ヒトには慣れやすいですが、複数のハムスターを同じケージで飼うと、ケンカしてしまいます。

イングリッシュモルモット English Guinea Pig

データ

おだやかでさびしがり屋のネズミ

体長	21～25センチメートル
体重	600～1200グラム
特徴・性格	南アメリカで、何千年も前からヒトに飼われてきました。草食性で、野生では夜に活動しますが、ペットは飼い主に合わせて生活するようになります。さびしがり屋で、複数を同じケージで飼うこともできます。

ヨツユビハリネズミ
Pygmy Hedgehog

データ

トゲトゲでからだを守る

体長	17～25センチメートル
体重	230～700グラム
特徴・性格	別名はピグミーハリネズミ。夜行性で、野生ではミミズや昆虫を食べます。身を守るときには、トゲを立たせてからだを丸めます。慣れるとトゲを立てなくなるので、素手でも抱っこできます。

シマリス
Chipmunk

データ

警戒心の強い、森のリス

体長	12～17センチメートル
体重	50～120グラム
特徴・性格	野生では土の中に巣をつくり、昼間はおもに木の上で活発に過ごします。性格はおくびょうで、警戒心が強いですが、好奇心が強い動物でもあるので、慣れるとうでや肩に乗ってくるようになります。

アメリカモモンガ
Southern flying squirrel

データ

慣れたら室内でも飛ぶ

体長	14～20センチメートル
体重	50～140グラム
特徴・性格	夜行性で、前足とうしろ足の間にあるまくを広げて、木から木へ飛び移ります。飼うときは、高さのある広めのケージを用意し、中に止まり木を入れると喜びます。神経質な性格です。

ウサギ・イタチなどの仲間

ペットとして大人気のウサギのほかにも、
さまざまな種類の動物が飼育されています。

ホーランド・ロップ

Holland Lop

データ

耳がたれたおとなしいウサギ

体長	約30センチメートル
体重	1.8 ～ 4キログラム
特徴・性格	もともとヨーロッパにいた野生のウサギを改良した品種です。地面につくほど長くたれ下がった耳が特徴です。おだやかな性格をしていて、飼いやすいウサギです。

フェレット

Ferret

データ

遊び好きなイタチの仲間

体長	35 ～ 40センチメートル
体重	0.6 ～ 2.3キログラム
特徴・性格	昔はウサギ狩りに使われたり、毛皮をとるために飼われたりしていました。肉食性で、野生では地中に巣穴をほってくらします。遊ぶことが大好きなので、いっしょにおもちゃで遊ぶと喜びます。

ミーアキャット Meerkat

データ

アフリカ南部原産のマングースの仲間

体長	25 ～ 35センチメートル
体重	0.6 ～ 1キログラム
特徴・性格	野生では30頭ほどの群れでくらします。生まれたときからヒトに飼われれば慣れますが、しつけるのはむずかしいです。日のあたる場所に連れて行くと、2本足で立ち、日光浴をするすがたを見ることができます。

ダマヤブワラビー Tammar Wallaby

データ

小型のカンガルー

体長	52 ～ 68センチメートル
体重	2.3 ～ 6.1キログラム
特徴・性格	オーストラリア原産。赤ちゃんは母親のおなかにあるふくろで育ちます。おくびょうで、おこりっぽく、ヒトにはなつきにくいですが、慣れるとお腹を見せてねころがり、くつろぐすがたを見ることができます。

コモンリスザル Common Squirrel Monkey

データ

小型のリスザルの代表

体長	27 ～ 37センチメートル
体重	0.5 ～ 1.2キログラム
特徴・性格	南アメリカ原産。仲間や親子のきずなが強く、広い森で大きな群れをつくってくらします。1匹だけをペットとして飼うときは、さびしくないよう、毎日遊んであげるようにしましょう。

トリの仲間

昔からペットとして飼われてきたトリには、いろいろな種類がいます。

とっても頭のよいインコ

体長	28～39センチメートル
特徴・性格	アフリカ原産の中～大型のインコです。小型インコよりおっとりしています。たいへんかしこく、ヒトの幼児くらいの知能や感情があるといわれています。長生きするトリで、寿命は50年ほどです。

もっとも有名なインコ

体長	約18センチメートル
特徴・性格	オーストラリア原産の小型のインコ。ヒトによく慣れます。愛情をもって接すると、ものまねをしたり歌ったりするようになります。エサの好みがはっきりしているので、栄養がかたよらないよう注意が必要です。

※トリの大きさは、一般的に体長のみで表します。

ブンチョウ
Java Sparrow

データ

落ち着いた色合いの小鳥

体長	約14センチメートル
特徴・性格	江戸時代に日本にやってきた、インドネシア原産の小鳥です。じょうぶで飼いやすく、手乗りにして楽しむこともできます。

コキンメフクロウ
Little Owl

データ

金色の目をした小型のフクロウ

体長	18～23センチメートル
特徴・性格	神経質で警戒心が強く、攻撃的な一面もあります。さわられるのは苦手です。飼うときは、コキンメフクロウ専用の部屋を用意して自由に飛び回れるようにすることが理想です。

アカカナリア
Red Canary

データ

燃えるような赤い羽根

体長	12～20センチメートル
特徴・性格	カナリアとショウジョウヒワというトリを交配*させてできた、赤い羽根の品種。オスは美しい声でさえずります。美しい赤色の羽根を保つためには、専用の「色揚げ飼料」をあたえることが必要です。

*交配：オスとメスをかけあわせること。ここでは、トリの品種育成のためにおこなわれることをいう

トカゲ・カエルなどの仲間

カメだけではなく、最近ではトカゲやカエルもペットとして人気があります。

ニホンカナヘビ

Japanese Grass Lizard

データ　名前は「ヘビ」だがトカゲの仲間

体長	17 ～ 25センチメートル
特徴・性格	日本のほとんどの地域で見られるは虫類です。尾がとても長いことが特徴です。ヒトにも慣れます。飼う場合は、コオロギやハエなどの小さな昆虫をエサとしてあたえ、適度な日光浴をさせます。

ベルツノガエル

Argentine Horned Frog

データ　大人気の飼育ガエル

体長	10 ～ 13センチメートル
特徴・性格	南アメリカ原産のカエル。オタマジャクシは水中で、おとなになると陸上でくらします。動くものを見ると、なんにでもとびつく習性があります。肉食性なので、エサには生きた昆虫やキンギョなどがむいています。

※トカゲ・カエルなどの仲間の大きさは、一般的に体長のみで表します。カメはこうらの長さで表します。

クサガメ
Reeve's Turtle

データ

首のもようが美しいカメ

こうらの長さ	20 ～ 30センチメートル
特徴・性格	日本をはじめ東アジアに生息する半水生ガメです。おびえるとくさいにおいを出すため、「クサガメ」と呼ばれるようになったともいわれています。クサガメの子どもは「ゼニガメ」という名で売られていることもあります。

ヒョウモントカゲモドキ
Leopard Gecko

データ

世界中で大人気

体長	18 ～ 28センチメートル
特徴・性格	中近東原産のヤモリの仲間ですが、日本のヤモリのようにかべにはりつくことはできないため、トカゲのように見えます。さまざまな色やもようの個体*がいます。おとなしい性格で、じょうぶで飼育しやすいは虫類です。

メキシコサラマンダー
Mexican Salamander

データ

「ウーパールーパー」の名でおなじみ

体長	20 ～ 28センチメートル
特徴・性格	おさないころのからだの特徴を残したまま、おとなになるめずらしい両生類です。一生を水中で過ごします。日本ではピンク色の個体が有名ですが、メキシコにいる野生のメキシコサラマンダーは灰色で黒いはん点があります。

* 個体：1匹の動物のこと

サカナの仲間

水そうの中で泳ぎ、繁殖するようすはとても魅力的です。

グッピー
Guppy

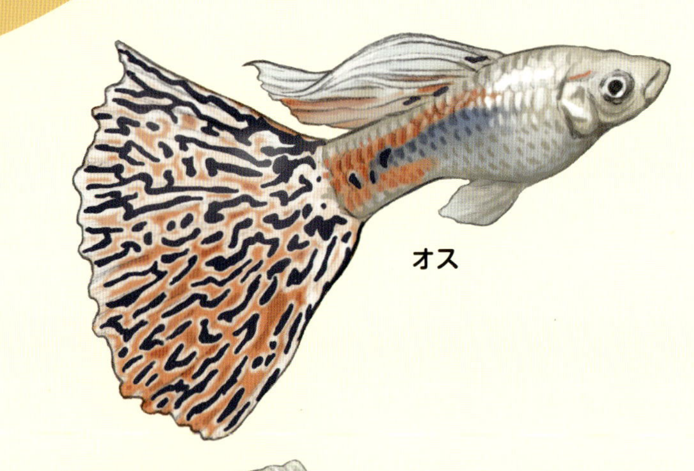

熱帯魚といえばこのサカナ

体長	4～5センチメートル
特徴・性格	じょうぶで飼いやすいメダカの仲間です。さまざまな色やもよう、尾びれの形をしたグッピーが世界中で育てられています。メスはオスにくらべて地味ですが、同じ水そうで飼うと、メスのおなかから稚魚が産まれるようすを観察することもできます。

ネオンテトラ
Neon Tetra

データ

ネオンのように青く光って見える

体長	3～4センチメートル
特徴・性格	南アメリカ原産で「カラシン」という種類の仲間です。日本で目にするのは中国やアジアで養殖されたものです。群れで泳ぐすがたがたいへん美しいことで人気があります。おだやかな性質のサカナです。

※サカナの大きさは、一般的に体長のみで表します。ここでは淡水魚のみを紹介しています。

コリドラス・ステルバイ
Corydoras Sterbai

データ

水そうのそうじ屋さん

体長 約6センチメートル

特徴・性格 南アメリカ原産のナマズの仲間。長いヒゲが特徴です。ほかのサカナが食べ残したエサや水そうのコケをそうじしてくれます。

シルバーアロワナ
Silver Arowana

アマゾン川でくらす大きなサカナ

体長 約120センチメートル

特徴・性格 銀色にかがやく、大きな熱帯魚です。ゆったりと泳ぐすがたが魅力的です。子どものころは、10センチメートルほどですが、成長するのが早く、また、とても大きくなるため、飼育するには、大きな水そうが必要になります。10年ほど生きることができます。

ニホンメダカ（ミナミメダカ）
Japanese Killifish

童謡などでおなじみ

体長 約3センチメートル

特徴・性格 昔は小川や田んぼにふつうにいましたが、現在は絶滅危惧種*になっています。日本には、ミナミメダカとキタノメダカがいて、合わせてニホンメダカと呼ばれます。水草を入れた水そうでオスとメスを飼うと、メスが卵を産みつけます。

* 絶滅危惧種：絶滅（ひとつの生き物の種がいなくなること）の危機にある生き物の種

エビ・カニなどの仲間

サワガニやミナミヌマエビは、
日本の川や渓流でも見られます。

サワガニ

Japanese Freshwater Crab

データ　日本で多く見られるカニ

こうらのはば	約2.5センチメートル
特徴・性格	きれいな渓流や沢へ行けば見つけることができます。くらしている場所によって、こうらの色が異なります。飼育するときは、水そう内に石などで陸地やかくれ場所をつくり、水をきれいに保ちます。雑食性の動物で、キンギョ用のエサのほか、ご飯つぶ、ニボシ、パン、カツオブシなどいろいろなものを食べます。

ミナミヌマエビ

Freshwater Shrimp

データ　飼育しやすい小型のエビ

体長	2～3センチメートル
特徴・性格	本州、四国、九州のきれいな川や渓流でくらしています。飼育する場合は、水草といっしょに飼うと、エビのかくれ場所になります。オスとメスを同じ水そうで飼うと、繁殖するようすを見ることもできます。

※エビの仲間の大きさは、一般的に体長のみで表します。カニはこうらのはばで表します。ヤドカリは体重で表します。

フロリダ・ブルー
Florida Crayfish

データ　アメリカ生まれの青いザリガニ

体長	10～18センチメートル
特徴・性格	アメリカのフロリダで品種改良されたザリガニです。アメリカザリガニとは別の品種です。成長してもきれいな青い色をしています。アメリカザリガニより寒さに弱いので、冬は10度以下にならないよう、ヒーターを設置しましょう。

レッドチェリー・シュリンプ
Red Cherry Shrimp

データ　あざやかな赤色が特徴

体長	約2.5センチメートル
特徴・性格	台湾で観賞用に育てられた、赤色のとてもおとなしいエビです。おもにコケを食べます。攻撃的なサカナとはいっしょに飼えません。

オカヤドカリ
Land Hermit Crab

データ　陸上でくらすヤドカリ

体重	約160グラム
特徴・性格	暖かい地域の海に近い陸上でくらしています。日本では沖縄や小笠原諸島などにいますが、天然記念物*に指定されているので、つかまえてはいけません。雑食性ですが、サツマイモやレタスなどの野菜をより好みます。成長するとからだの大きさに合わせて引っこしするので、水そうの中にいろいろな貝がらを入れておいてあげましょう。

* 天然記念物：文化財保護法によって保護するように定められた動物、植物、地質・鉱物、地域

さくいん

あ行

か行

さ行

た行

な行

は行

ま行

や行

ら行

※赤文字の用語は、赤数字のページに＊で説明をおこなっています。
※青文字の動物は、第3章で体長、体重、特徴・性格などを解説しています。

監修者

今泉 忠明（いまいずみ ただあき）

1944 年東京都生まれ。東京水産大学（現・海洋大学）卒業、国立科学博物館でほ乳類の分類や生態について学ぶ。環境庁（現・環境省）のイリオモテヤマネコの生態調査などに参加。「ねこの博物館」館長。定期的に東京・奥多摩で動物の観測・調査をおこなっている。おもな著書に『野生ネコの百科』（データハウス）、『気をつけろ！猛毒生物大図鑑』（ミネルヴァ書房）、『「もしも?」の図鑑 危険動物との戦い方マニュアル』（実業之日本社）、『おもしろい！ 進化のふしぎ ざんねんないきもの事典』監修（高橋書店）などがある。

著 者

小野寺 佑紀（おのでら ゆうき）

1980年大阪府生まれ。京都大学大学院アジア・アフリカ地域研究研究科修士課程修了。科学雑誌Newton編集部に勤務後、2011年からフリーランスのサイエンスライター。『ニュートン別冊 ビジュアル生物学』（ニュートンプレス）の執筆・編集・DTPを担当。

おもな参考図書

『爬虫両生類の上手な飼い方 これから楽しむ方へ 豊富な図鑑とわかりやすい解説』著／冨水 明 エムピージェー 2014年、『カメの飼い方・楽しみ方BOOK』監修／霍野晋吉 著／富沢直人 成美堂出版 2013年、『水族館の歴史 海が室内にやってきた』著／ベアント・ブルンナー 訳／山川純子 白水社 2013年、『はじめての熱帯魚&水草 パーフェクトBOOK』監修／小林圭介 ナツメ社 2013年、『カラーアトラス エキゾチックアニマル 哺乳類編』著／霍野晋吉 横須賀 誠 緑書房 2012年、『ワイド版・動物図鑑シリーズ 小動物の飼い方図鑑』監修／河野朝城 日東書院 2011年、『小鳥図鑑 フィンチと小型インコたちの種類・羽色・飼い方』著／島森尚子 誠文堂新光社 2011年、『手に取るようにわかる エビ・カニ・ザリガニの飼い方』著／山崎浩二 ピーシーズ 2002年

イラスト（第1章）

ながおか えつこ

大阪府生まれ。金沢美術工芸大学産業美術学科商業デザイン卒業。松下電工株式会社（現パナソニック）マーケティング部入社。広告制作、CI、社内刊行物、Web制作などを担当する。退社後、イラストレーターとして独立。「白泉社 MOEイラスト・絵本大賞」入選。パッケージ、挿絵、子ども向け教材など、あらゆる媒体へのイラスト制作を手掛けている。

イラスト（第２章、表裏見返し）

すみもと ななみ

横浜市生まれ。多摩美術大学グラフィックデザイン科卒業。広告代理店、制作プロダクションにてグラフィックデザイナーとして勤務。退社後、イラスト&デザインオフィス「スパイス」を設立し、子どもや女性向けの書籍、雑誌を中心にイラスト制作活動をしている。

イラスト（第３章、はじめに）

川崎 悟司（かわさき さとし）

1973年大阪府生まれ。おもに古生物のイラストを手掛ける。2001年に古生物などを紹介する図鑑ウェブサイト「古世界の住人」を開設。おもな著書に『ならべてくらべる動物進化図鑑』（ブックマン社）、『未来の奇妙な動物大図鑑』（宝島社）などがある。

企画・編集・デザイン

ジーグレイプ株式会社

この本の情報は、2017年１月現在のものです。

なぜ？ どうして？ ペットのなぞにせまる

③まだまだいっぱい！ 小さな動物たち

2017年3月10日 初版第1刷発行 〈検印省略〉

定価はカバーに
表示しています

監修者 今泉 忠明
著 者 小野寺 佑紀
発行者 杉田 啓三
印刷者 田中 雅博

発行所 株式会社 ミネルヴァ書房
607-8494 京都市山科区日ノ岡堤谷町1
電話 075-581-5191／振替 01020-0-8076

印刷・製本 創栄図書印刷

ISBN978-4-623-07897-4
NDC480/40P/27cm
Printed in Japan

動物のふしぎなくらし・すがた・行動の意味や役割がよくわかる！

1 動物のふしぎなくらし

2 動物のふしぎなすがた

3 動物のふしぎな行動

27㎝　40ページ　NDC480　オールカラー　対象：小学校中学年以上

動物の生態や消化のしくみをウンコから学ぶ

1 草食動物はどんなウンコ？

2 肉食動物はどんなウンコ？

3 雑食動物はどんなウンコ？

27㎝　40ページ　NDC480　オールカラー　対象：小学校中学年以上

山や森、海や川、家やまちにいる猛毒生物がよくわかる！

① 山や森などにすむ　猛毒生物のひみつ

② 海や川のなかの　猛毒生物のふしぎ

③ 家やまちにひそむ　猛毒生物のなぞ

27㎝　40ページ　NDC480　オールカラー　対象：小学校中学年以上

もっと知りたい！

元気のふしぎ（熱帯魚）

熱帯魚が病気にならないように、定期的に水そうの水かえをしましょう。

水かえのしかた

①水を準備する

きれいなバケツなどに水を用意する。カルキぬきを入れ、もとの水そうの水温に近づける。冬などは、お湯と水で温度を調整してもよい

②水そうの水をぬく

照明器具やヒーターなどを止めてから、水を3分の1から半分くらいぬく。水を吸い上げる専用の道具があると便利

水そうの水かえ

熱帯魚を病気にさせないためには、水そうの手入れはかかせません。とくに水質の管理はとても重要です。

エサの食べ残しや熱帯魚のウンコなどは、ろ過フィルターや水そうの中にいるバクテリアが分解してきれいにしてくれます。しかし、バクテリアの分解がくり返しおこなわれると、しだいに水質が変わってくるため、水かえが必要になります。

水をかえるときは、一度に全部を入れかえるのではなく、3分の1から半分くらいを入れかえます。水温や水質が急に変わることは、熱帯魚に悪い影響をあたえるためです。

また、水道水には水をくさりにくくするためにカルキ（塩素）がふくまれているので、カルキをぬく必要があります。